LOBO A LA VISTA

y otras fábulas de Esopo

D1176743

Dirección editorial: Cristina Arasa
Coordinación de la colección: Mariana Mendía
Cuidado de la edición: Libia Brenda Castro
Diseño: Javier Morales Soto

Lobo a la vista y otras fábulas de Esopo

D.R. © Texto: Cristóbal Joannon
D.R. © Ilustraciones: Agata Raczynska
Editado por Ediciones Castillo, S.A. de C.V. por acuerdo con Editorial Amanuta Limitada.
Esta obra se publicó en Chile. El texto original ha sufrido algunos cambios
menores por parte de la editorial para adaptarlo al oído y gusto de México.

Primera edición: marzo de 2014
D.R. © 2014, Ediciones Castillo, S.A. de C.V.
Castillo ® es una marca registrada.

Insurgentes Sur 1886, Col. Florida,
Del. Álvaro Obregón,
C.P. 01030, México, D.F.

**Ediciones Castillo forma parte
del Grupo Macmillan**

**www.grupomacmillan.com
www.edicionescastillo.com
infocastillo@grupomacmillan.com
Lada sin costo: 01 800 536 1777**

Miembro de la Cámara Nacional
de la Industria Editorial Mexicana.
Registro núm. 3304

ISBN: 978-607-621-018-5

Impreso en México/*Printed in Mexico*

Impreso en los talleres de
Editorial Impresora Apolo, S.A. de C.V.
Centeno 150-6, Col. Granjas Esmeralda
C.P. 09810, México D.F.
Delegación Iztapalapa
Marzo de 2014.

LOBO A LA VISTA

y otras fábulas de Esopo

CRISTÓBAL JOANNON

Ilustraciones de Agata Raczynska

CASTILLO DE LA LECTURA

ÍNDICE DE FÁBULAS

EL HALLAZGO DEL GALLO

Un gallo hambriento buscaba
algo de comer.

En eso, se encontró un diamante.

9

MIEDO DE QUÉ

Un día una zorra vio un león a lo lejos.
Era la primera vez que veía uno.

Se asustó mucho
y salió corriendo.

Pasó el tiempo y volvió
a ver un león. Se asustó
de nuevo, pero ahora
no huyó.

Esopo dijo que esta fábula enseña que la costumbre termina por reducir nuestros miedos.

Cuando vio un león por tercera vez, se le acercó y se puso a platicar con él con toda tranquilidad.

EL NAUFRAGIO

Un hombre muy rico navegaba acompañado de otros pasajeros.

Este hombre había nacido en (ATENAS), la principal ciudad de Grecia.

De pronto, el cielo se oscureció y una tormenta se les vino encima. Llovió con fuerza, y grandes olas hundieron el barco.

El hombre, desesperado, invocó a la diosa Atenea, la patrona de su ciudad:

¡Bendita Atenea, si me salvas prometo hacerte mil ofrendas en tu templo!

Un náufrago que estaba a su lado le dijo:

¡Está muy bien que le reces a la diosa, pero te recomendaría ponerte a nadar!

EL BURRO

Un burro era esclavo de un jardinero,
quien lo hacía trabajar mucho
a cambio de poca comida.

Cansado, el burro le pidió
a Zeus que lo hiciera
esclavo de otro hombre.
El dios se lo concedió:
ahora su amo
era un artesano.
El artesano
trabajaba muy duro.

Exhausto, el burro le rogó a Zeus
un segundo cambio. Esta vez el dios
lo puso en manos de un soldado.

El soldado partió
a la guerra con el burro.
Mientras las espadas
chocaban y las flechas llovían,
el animal, aterrado, exclamó:

¡Zeus, qué tonto
fui! Por alejarme
de mi primer dueño,
ahora voy a morir.

15

LA HORMIGA Y LA CIGARRA

Durante el verano una hormiga
recogía granos de trigo y cebada
en los campos; los llevaba con esfuerzo
a su hormiguero, y allí los almacenaba
como alimento para el invierno.

¿Qué haces?
Estos meses son
para descansar.

Una cigarra se asombró
al ver trabajar a la hormiga
en pleno verano.

La hormiga, como buena hormiga,
siguió con su trabajo.

Llegó el invierno, la nieve cubrió los campos y la cigarra se vio sin nada que comer.

Cuando ya desfallecía de hambre, fue hasta el hormiguero y le pidió a la hormiga algo de alimento.

Si hubieras trabajado durante el verano, ahora no me estarías pidiendo algo de comer.

Lo que Esopo no cuenta es si finalmente la hormiga ayudó o no a la cigarra hambrienta.

LA RESPUESTA DE LA LEONA

Una perra le reprochaba a una
leona que pariera sólo una cría.

Traes al mundo un solo
cachorro, qué poco.
Mírame a mí: doy a luz
varios perritos a la vez.

EL TESORO DEL AGRICULTOR

Un agricultor quería que sus hijos
fueran agricultores como él.
Poco antes de morir, los llamó
a su lado para revelarles
un secreto:
   —En alguna parte
de este campo
hay un tesoro.

El padre murió y sus hijos corrieron a buscar el tesoro: se veían abriendo un cofre lleno de monedas de oro. Tomaron sus herramientas para excavar. Trabajaron duro y removieron la tierra de todo el campo.

No encontraron ningún cofre, pero en pocos meses el campo les dio una excelente cosecha.

EL PLAN DE LOS RATONES

Cierto día los ratones se reunieron para
idear un plan, pues necesitaban saber
cuándo estaba cerca el gato de la casa.
Muchas veces se arrojaba sobre ellos por
sorpresa, y estaban hartos de vivir huyendo.
    Uno de ellos habló:

Esto tiene que terminar. ¿Alguien tiene algún plan?

¿Qué les parece si le amarramos un cascabel al gato para saber siempre dónde está?

¡Excelente idea!

Celebraron con aplausos el nuevo plan,
hasta que otro ratón los hizo callar:

UNA PELEA EN ALTAMAR

Unos delfines y unos tiburones estaban peleando. Cuando la trifulca empezó a arder, una pequeña sardina subió a la superficie y les dijo:

¡Dejen de pelear, brutos!

Uno de los tiburones le respondió:
—Preferimos pelear a muerte
antes que tenerte a ti como
árbitro de nuestra contienda.

ASÍ OBTUVO LA TORTUGA SU CAPARAZÓN

Una noche Zeus celebró en su casa un gran banquete. Asistieron todos los animales, sólo faltó la tortuga.

Al día siguiente se encontró con ella
y le preguntó, intrigado, por qué no había ido.

Preferí quedarme en mi casa.
La casa de uno siempre
es la mejor.

¿Ah, sí?, pues de ahora
en adelante vas a llevar
tu casa siempre contigo.

LA ENCINA
Y LA CAÑA

Una encina y una
caña discutían sobre
cuál de las dos era
más resistente.

En eso empezó a soplar el viento sobre
el bosque. Al principio, la encina
no tuvo ningún problema. En cambio,
la caña se mecía de un lado para otro.

Como puedes ver, yo soy más resistente y permanezco firme ante el ventarrón.

Pero la fuerza del viento aumentó y aumentó.
La caña se inclinaba casi hasta el suelo, y así resistió muy bien: sus raíces la mantuvieron en pie.
La encina no tuvo tanta suerte...

¡¡Aaaaa!!

Su rigidez hizo que se viniera abajo.

EL SALTO DEL ATÚN

Unos pescadores salieron temprano
a trabajar. Todo parecía indicar
que ese día volverían a la caleta
cargados de pescados, pero
les fue fatal: llegó la tarde
y no habían pescado nada.

   Desanimados, perdieron la
esperanza, y empezaron a recoger
las redes para emprender la vuelta.

En eso, un enorme atún saltó
desde el agua hasta el bote.

No podían creerlo: ¡Sin hacer nada habían conseguido lo mejor que podía darles el mar! El pescador más viejo dijo:

—Cuando se pesca, la esperanza sólo se pierde hasta que se han puesto los pies en tierra.

EL ESPEJISMO

Una paloma se moría
de sed. Desde lo alto
vio en una pintura
un jarro de agua
y pensó que era real:
apuró el vuelo y se
lanzó sobre ella.

El choque fue frontal.
La paloma se golpeó
la cabeza y sus alas
quedaron heridas.
Cayó a tierra, casi inconsciente.

Un hombre que había visto todo la atrapó. La paloma no pudo hacer nada para evitarlo.

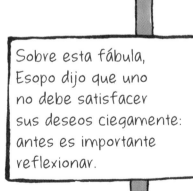

Sobre esta fábula, Esopo dijo que uno no debe satisfacer sus deseos ciegamente: antes es importante reflexionar.

LAS LIEBRES Y LAS RANAS

Un día las liebres organizaron una reunión para decidir su futuro: estaban cansadas de vivir muertas de miedo; de huir de los cazadores y los animales que las perseguían.

Cambiemos de bosque.

Mala idea, en otro bosque tendremos los mismos problemas.

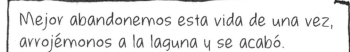

Mejor abandonemos esta vida de una vez, arrojémonos a la laguna y se acabó.

Las liebres corrieron
produciendo un gran ruido
en el bosque silencioso.

Unas ranas que estaban
junto a la laguna saltaron
al agua despavoridas.

Al ver eso, una de
las liebres gritó:

¡Alto! Mientras nos quejamos
hay otros animales que sufren
aún más que nosotras.

EL VIENTO Y EL SOL

El viento y el sol hicieron una competencia
para ver quién despojaba primero a un hombre
de su ropa. Vieron a uno desde lo alto.

   El viento sopló con insistencia,
pero el hombre, molesto por el frío,
cerró los botones de su gabardina.
Mientras más soplaba el viento,
más resistencia oponía el hombre.

Entonces llegó el turno del sol. Brilló primero un poco, luego más, hasta que el hombre se quitó la gabardina y se echó a nadar.

Esopo afirmó que esta fábula muestra que los esfuerzos sostenidos y calculados son más efectivos que la fuerza bruta.

EL ÁGUILA Y EL CUERVO

Un águila atrapó un cordero y se lo llevó por los aires. Un cuervo envidioso quiso hacer lo mismo: dio un par de graznidos y se tiró en picada sobre un carnero.

¡Gran error!

No sólo no lo atrapó, sino que sus garras se quedaron enganchadas en los vellones del animal. Batió las alas con fuerza para liberarse, pero no pudo.

El pastor corrió a ver qué pasaba
(después de todo un águila ya le había
robado un cordero). Atrapó al cuervo
y le cortó las alas para que no se escapara.

Unos caminantes le preguntaron qué
tipo de ave había capturado, y respondió:

LA GALLINA Y SU DUEÑA

Una señora tenía una gallina.

sólo una

La gallina, igual que todas las gallinas, ponía un huevo cada día.

Sus huevos eran excelentes, con yemas muy amarillas y sabrosas.

Sin embargo la señora no estaba satisfecha con que su gallina pusiera sólo un huevo al día. Entonces se le ocurrió un truco: le daría el doble de alimento para que pusiera dos huevos.

La gallina engordó y engordó,
tanto que ya no puso más huevos.
La gallina dijo, con toda razón:

No es
mi culpa.

La señora,
por ambiciosa,
se quedó
sin huevos.

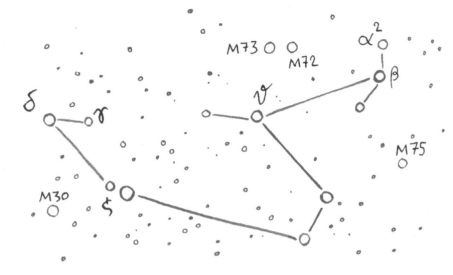

CUIDADO CON EL POZO

Un astrónomo salía
de su casa todas las noches
a mirar las estrellas. Buscaba
en la oscuridad del campo
los mejores lugares para
hacer sus observaciones.

Cierta vez, mientras
escudriñaba el cielo
con gran concentración,
se cayó a un pozo.

Gritó pidiendo ayuda.
Tuvo suerte: una muchacha
que pasaba por ahí, lo rescató
y cuando lo reconoció le dijo,
riendo:

Por andar tan ocupado
con las lejanas estrellas
te olvidaste de lo que
hay aquí en la tierra,
bajo tus propios pies.

43

LA SERPIENTE Y EL GUSANO

Una serpiente dormía bajo un árbol.
   Un gusano, al verla, sintió envidia
de su tamaño.

—Quiso igualarla, de modo que se acostó
a su lado y se estiró

y se estiró hasta que,

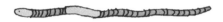

sin darse cuenta,

se partió.

La serpiente despertó y no entendió
qué había pasado. El árbol, que
había visto todo, se lo explicó:
—Un gusano muy ingenuo intentó
rivalizar contigo, pero no se dio cuenta
de que estaba compitiendo con alguien
muy superior a él. Ahí tienes el resultado.

LOBO A LA VISTA

Un pastor tenía un rebaño. Un día apareció un lobo y el pastor, al verlo, redobló su vigilancia. El lobo comenzó a seguir al rebaño, a la distancia.

Un día el pastor tuvo que ir a hacer
una diligencia a un pueblo cercano.

Al volver del pueblo, el lobo
ya no estaba y faltaban tres ovejas.

UNA COSA POR OTRA

Una mañana, se encontraron
en la misma rama de un árbol
una golondrina y una corneja.
   La golondrina miró de arriba
abajo a la corneja y le dijo:

La naturaleza me ha favorecido:
me dio la belleza que a ti te negó.

La corneja, antes de emprender
el vuelo, le repuso:

Serás más bonita, pero yo resisto mejor que tú los fríos del invierno.

LA LIEBRE Y LA TORTUGA

Soy mucho más rápida que tú.

Le dijo una liebre a una tortuga.

Eso sólo puede probarse con una carrera. Podemos hacer una ahora mismo.

La liebre aceptó sin dudar el desafío. "Esto será muy fácil: es imposible que me gane", pensó.

Antes de que la tortuga diera un paso, la liebre dio tres saltos veloces y se perdió de vista.

Al ver que la tortuga había quedado muy atrás, la liebre tomó un descanso y se quedó dormida. La tortuga pasó a su lado, lentamente. La liebre despertó justo cuando la tortuga cruzaba la meta.

Dijo Esopo sobre esta fábula, la más famosa de su repertorio: "Muchas veces quien se esfuerza termina por vencer al descuidado".

EL MÚSICO

Un guitarrista
no muy listo cantaba
sin parar en una pieza
vacía. Como las paredes
le devolvían el eco
de su voz desafinada,
creyó que era
un buen cantante.

Así que tomó su
instrumento
y fue al
teatro.

Dijo que era un
excelente músico,
y le pidieron
entonces
que diera
un concierto.

Por algo me imitan.

El espectáculo fue un desastre.
En la primera canción el público
vio que se trataba de un embustero.
Lo echaron del escenario:
le arrojaron huevos y tomates.

LA ZORRA
Y EL CUERVO

Una zorra se encontró
con un cuervo que acababa
de robar un pedazo de queso.
La zorra,
hambrienta,
lo halagó:

Eres muy hábil en el arte del robo y sabes volar con gran talento.

Pero qué pena que no tengas buena voz.

El cuervo, al escuchar
esto último, soltó el queso
que tenía en el pico y dio
fuertes graznidos para
impresionar a la zorra.

Ella tomó el pedazo
de queso y salió
corriendo, mientras
se decía entre risas:

¡Qué fácil es conseguir
lo que uno quiere
de un vanidoso!

VIDA DE ESOPO

Se cree que Esopo, el renombrado fabulista, nació en Frigia, una región de Asia Menor, en el siglo sexto antes de Cristo.

Cuenta una leyenda que fue
un esclavo feo, desdentado,
bizco y cabezón. Aunque
sus defectos se compensaron
gracias a un regalo divino.

Cierta vez una sacerdotisa
de la diosa Isis se perdió
en un bosque y Esopo,
amablemente, le indicó
el camino correcto. Como
recompensa, la diosa
le dio el don de la palabra,
del buen razonamiento
y de la memoria.

Así, Esopo se convirtió en una suerte de faro para aquellos que necesitaban orientación. Transmitió sus enseñanzas mediante fábulas.

Una de sus moralejas más conocidas es la de atenerse a la realidad y ser consciente de las propias limitaciones.

Dos virtudes que apreciaba mucho eran la paciencia y la sensatez.

Los atenienses mostraron gran admiración por Esopo. Sócrates, el más importante filósofo griego, versificó algunas fábulas suyas.

Tras la muerte de Esopo, los griegos le dedicaron una estatua realizada por Lisipo, un aclamado escultor.

La emplazaron en el centro de Atenas, para que nadie se olvidara de su ingenio y proverbial sabiduría.

NOTA DE LOS AUTORES

Hay innumerables ediciones de las fábulas de Esopo. Algunas tienen fines académicos y otras buscan educar y entretener. Este libro corresponde a esta última categoría, en la que el humor nos parece un elemento clave del género.

Nuestra selección incluye las fábulas más conocidas, como la de la liebre y la tortuga, y agrega otras menos conocidas para dar una visión más amplia de las enseñanzas de Esopo. Tuvimos a la vista varias colecciones de las fábulas, pero nos basamos en la edición española de la editorial Gredos (2004), y en la inglesa de Oxford World's Classics (2003).

Dicen los especialistas que las moralejas no fueron añadidas sino hasta varios siglos después de la composición de las fábulas. En eso se basa nuestra decisión de incluir sólo algunos comentarios, cuando lo consideramos necesario para una adecuada comprensión del texto.

Algunos lectores se extrañarán al ver que ciertos valores o virtudes celebrados en unas fábulas sean impugnados en otras. La razón es simple: la sabiduría popular que representa Esopo no es sistemática.

Mucha gente se pregunta por qué el éxito de Esopo ha durado más de veinte siglos. Luego de trabajar en este libro hemos dado con una respuesta: el fabulista, con una gran simpleza y brevedad, nos muestra verdades innegables de nuestras propias vidas.